El jefe Seattle

La voz de un pueblo desterrado

Colección dirigida por

Francisco Antón

Diseño gráfico: Estudi Colomer

Primera edición, 2003
Primera reimpresión, 2004

Depósito Legal: B. 9.335-2004
ISBN: 84-316-7171-8
Núm. de Orden V.V.: R-993

IMPRESO EN ESPAÑA
PRINTED IN SPAIN

Editorial VICENS VIVES. Avda. de Sarriá, 130. E-08017 Barcelona.
Impreso por Gráficas INSTAR, S.A.

Liu Si-yuan
Montserrat Fullà

El jefe Seattle

La voz de un pueblo desterrado

Vicens Vives

Hace miles de años un grupo de cazadores nómadas procedente del norte de Asia cruzó el helado mar de Bering y llegó al continente americano. Aquellos esforzados hombres y mujeres encontraron a su paso extensas llanuras, ríos rebosantes de pesca, hermosos bosques y caza en abundancia, de manera que decidieron establecerse en aquellas tierras. Eran gentes de espeso cabello negro y piel cobriza a los que, siglos más tarde, los europeos dieron el nombre de indios.

Los indios prosperaron en aquella nueva tierra y, con el paso del tiempo, llegó a haber más de quinientas tribus diseminadas por todo el continente. Pero la llegada del hombre blanco cambió por completo sus vidas.

El jefe Seattle

La voz de un pueblo desterrado

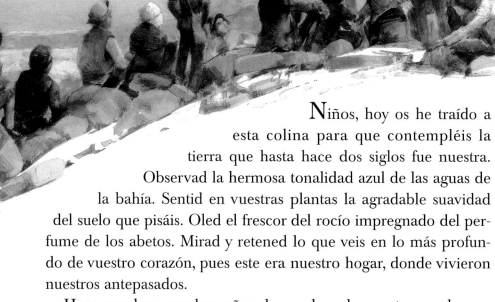

Niños, hoy os he traído a esta colina para que contempléis la tierra que hasta hace dos siglos fue nuestra. Observad la hermosa tonalidad azul de las aguas de la bahía. Sentid en vuestras plantas la agradable suavidad del suelo que pisáis. Oled el frescor del rocío impregnado del perfume de los abetos. Mirad y retened lo que veis en lo más profundo de vuestro corazón, pues este era nuestro hogar, donde vivieron nuestros antepasados.

Hace muchos, muchos años, los padres de nuestros padres se establecieron en esta tierra. Cuando llegaba la primavera surcaban con sus canoas los ríos repletos de plateados salmones y recorrían las montañas a la caza de ciervos y cabras. Luego salaban, ahumaban o secaban una parte de sus capturas para que les ayudaran a pasar los largos y crudos inviernos. Talaban también robustos

árboles de
los bosques para
construir sus casas y
canoas. Las mujeres tejían
mantas y cestos. Pero uno de los
momentos más felices del día era
cuando, al caer la tarde, se reunían para
bailar y cantar o para escuchar a los ancianos
cómo relataban una y otra vez las historias y
leyendas de nuestros antepasados.

   Uno de ellos, el jefe Seattle, fue un hombre sabio y
prudente que intentó en vano conservar la tierra y el modo
de vida de su pueblo. Y es tanto lo que tenemos que aprender
de él que hoy vamos a rememorar las palabras que un día dirigió
a los suyos cuando se encontraban recluidos ya en una reserva:

Nuestro pueblo vivía en una hermosa región poblada de bosques y bañada por caudalosos ríos de agua cristalina. Yo vine al mundo en una aldea situada junto a una tranquila bahía de la costa noroeste de Estados Unidos. Mi padre, el jefe de la tribu suquamish, me enseñó a ser un valeroso guerrero, pero procuró también que aprendiera las artes de la caza y la pesca, que eran la base de nuestro sustento. La naturaleza nos ofrecía sus dones a manos llenas en las ricas tierras que habitábamos, pero nosotros no cazábamos ni pescábamos más de lo necesario.

Un día, cuando yo apenas contaba seis años, entró en nuestra bahía un barco que semejaba un gran pájaro de alas blancas. A bordo viajaban unos hombres de aspecto extraño. Eran de piel blanca y de ojos azules o marrones, y muchos de ellos lucían espesas barbas. Algunos tenían cabellos tan dorados como el sol; el pe-

lo de otros, en cambio, era castaño como la crin de un caballo. Aquellos hombres desembarcaron muchos objetos raros y empezaron a observarlo todo y a tomar notas.

Los ancianos de la tribu dijeron que eran "rostros pálidos". Jamás habíamos visto hombres como aquellos, pero otras tribus ya nos habían hablado de ellos. Se decía que eran muy mañosos, pero también muy fieros. Algunos portaban un palo largo que escupía fuego y al que llamaban "fusil". Sonaba más fuerte que el trueno y era capaz de atravesar el pecho del guerrero más robusto.

Al principio nos mantuvimos alejados de ellos, pero al cabo perdimos el miedo al ver que se comportaban amistosamente y nos ofrecían objetos a cambio de pescado, carne y otros alimentos. Los niños empezamos a seguirlos y a hablarles haciendo señas. Dos manos abiertas con los dedos extendidos situadas sobre la cabeza significaba que querían carne de venado.

Los mayores nos dijeron que los hombres blancos estaban haciendo un mapa de la costa y que, cuando estuviese acabado, sus barcos podrían navegar y fondear sin peligro. Todos nos preguntábamos cuántos barcos más vendrían y qué nuevas cosas traerían.

Los hombres blancos no tardaron en zarpar, y nosotros seguimos viviendo como siempre, entregados a la caza y la pesca. Pasaron los años y yo crecí hasta convertirme en un joven fuerte. No había guerrero capaz de disparar una flecha con tanta puntería como yo ni de galopar más velozmente, así que con el tiempo me convertí en jefe de nuestra tribu y de otras cinco más.

Durante aquellos años no cesaron de llegar hombres blancos en carro, a caballo o en barco. Construyeron casas en nuestra tierra y levantaron cercados para guardar a sus animales. Y empezaron a hablar de «sus propiedades». A nosotros aquello nos pareció extraño, pero siempre que

veía a un rostro pálido recordaba a los amables visitantes que llegaron cuando yo era niño, así que les tendí mi mano en señal de bienvenida y amistad.

Los hombres blancos nos compraban pescado y madera, que cambiábamos por herramientas y utensilios metálicos. Pero un buen día decidieron fundar una población. Yo les sugerí que levantaran una factoría en la margen oriental de la bahía que ofreciese servicio postal y alojamiento a los viajeros y comerciantes. En agradecimiento por haberles prestado mi apoyo, a la población le pusieron mi nombre, Seattle. Yo creía que nuestra amistad sería eterna. Lo que no podía imaginar era la rapidez con que crecería y prosperaría la población y lo poco que tardaría en devorarnos.

A medida que los
hombres blancos se iban
adentrando en nuestras tierras,
los problemas fueron en aumento.
Nos contagiaron sus enfermedades,
cazaron hasta casi exterminar los
animales, tan abundantes en otro
tiempo, y nosotros empezamos a tener
dificultades para vivir de la caza. Luego
talarían los bosques para cultivar la tierra
o para que pudiera pasar el ferrocarril y,
lo que es peor, se apoderaron de nuestro
territorio, arrasaron la madre naturaleza que
nos alimentaba y destruyeron las tumbas de
nuestros antepasados.

El hambre y la rabia dieron paso al odio. Los
indios se pintaron el rostro con sus pinturas de
guerra, cogieron sus hachas y lanzas e intentaron
expulsar a los hombres blancos; pero estos se
negaron a abandonar las tierras conquistadas y se
defendieron con armas de fuego. Y así fue como las
que en otros tiempos fueron pacíficas llanuras se
tiñeron de sangre.

Con la rapidez que la noche sigue al día, todos aquellos conflictos acabaron afectándonos. Los jefes blancos vinieron a vernos, y, cortésmente pero con firmeza, nos manifestaron su intención de comprar las tierras en las que habíamos vivido durante cientos y cientos de años. A cambio prometieron reservarnos un territorio donde poder vivir con holgura.

Mientras las palabras brotaban de la boca del hombre blanco, vi cómo los ojos de nuestros jóvenes ardían de rabia. Yo, algo más bregado por la vida, las escuché con más tristeza que enojo. La rabia y el odio sólo acarrean dolor. Basta preguntar a cualquier madre que haya perdido un hijo en la guerra, o a cualquier hijo que se haya quedado sin padre. Además, ellos nos superaban en número, así que nunca conseguiríamos derrotarlos. Al igual que una cierva herida, no podíamos sino escuchar los pasos del cazador que se acerca.

Cuando sus jefes nos presionaron para que les diéramos una respuesta, me puse en pie lentamente y, señalando al cielo, les dije:

17

El cielo que durante siglos ha vertido
lágrimas de compasión sobre nuestros padres
y que, a nuestros ojos, parece inmutable y eterno,
puede cambiar. Hoy luce espléndido con el sol;
mañana puede estar cubierto de nubes.
Mis palabras, en cambio,
son como las estrellas, que nunca se apagan.
Así que los jefes blancos pueden confiar
en las palabras de Seattle con la misma certeza
con que nuestros hermanos los rostros pálidos
confían en el retorno de las estaciones.

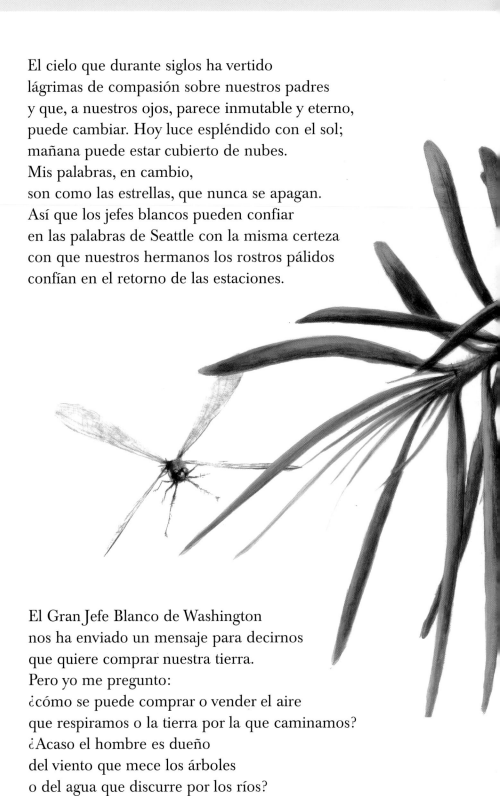

El Gran Jefe Blanco de Washington
nos ha enviado un mensaje para decirnos
que quiere comprar nuestra tierra.
Pero yo me pregunto:
¿cómo se puede comprar o vender el aire
que respiramos o la tierra por la que caminamos?
¿Acaso el hombre es dueño
del viento que mece los árboles
o del agua que discurre por los ríos?

Nuestro pueblo hace ya siglos
que habita estos bosques y pesca
en las aguas del mar que contempláis.
Cada aguja de abeto,
cada grano de arena de la playa,
cada insecto que zumba en el aire,
es sagrado para nosotros.
En esta tierra están enterrados nuestros padres,
y la savia que sube por árboles y plantas
nos trae su recuerdo.

¿Acaso el hombre blanco ha oído alguna vez
la música del agua cuando fluye por el lecho del río?
El agua cristalina que resplandece
en arroyos y ríos no es sólo agua,
sino la sangre de nuestros antepasados.
Los mágicos reflejos que centellean
en el agua clara de los lagos
nos traen recuerdos del pasado
y nos hablan de hechos ocurridos
en la vida de mi pueblo.
El borbolleo del agua
es la voz del padre de mi padre.

Los ríos son también nuestros hermanos;
ellos apagan nuestra sed
y alimentan a nuestros hijos.
Entre los tiernos brazos de sus riberas
se deslizan nuestras canoas con suavidad
en busca del sustento de cada día.

¿Acaso el hombre blanco
ha visto alguna vez
cómo el viento riza
la superficie del agua?
¿O ha olido la brisa limpia
que sopla después de caer la lluvia?
El aire es algo precioso para el piel roja
porque todas las cosas lo comparten:
los animales, los árboles, el hombre.
Está con nosotros desde el principio
hasta el fin de nuestras vidas.
Nos da nuestro primer aliento
y acoge nuestro último suspiro.

Así que, si os vendiéramos esta tierra,
tendríais que cuidarla como un tesoro,
porque el viento que sopla suavemente
sobre las flores de la pradera
nos insufla a todos la vida.

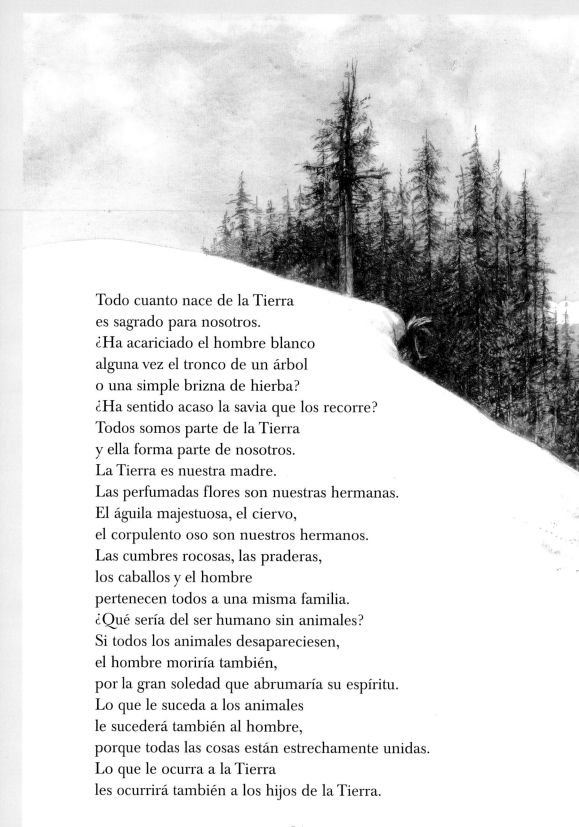

Todo cuanto nace de la Tierra
es sagrado para nosotros.
¿Ha acariciado el hombre blanco
alguna vez el tronco de un árbol
o una simple brizna de hierba?
¿Ha sentido acaso la savia que los recorre?
Todos somos parte de la Tierra
y ella forma parte de nosotros.
La Tierra es nuestra madre.
Las perfumadas flores son nuestras hermanas.
El águila majestuosa, el ciervo,
el corpulento oso son nuestros hermanos.
Las cumbres rocosas, las praderas,
los caballos y el hombre
pertenecen todos a una misma familia.
¿Qué sería del ser humano sin animales?
Si todos los animales desapareciesen,
el hombre moriría también,
por la gran soledad que abrumaría su espíritu.
Lo que le suceda a los animales
le sucederá también al hombre,
porque todas las cosas están estrechamente unidas.
Lo que le ocurra a la Tierra
les ocurrirá también a los hijos de la Tierra.

Y en cuanto nos marchemos,
¿qué haréis con los territorios
donde hemos vivido tan largos años?
El hombre blanco trata a su madre la Tierra
y a su hermano el Cielo como cosas
que se pueden comprar, saquear y vender,
como si fueran corderos, pan o un collar.
La tierra no es su hermana sino su enemiga.
Lucha contra ella y, cuando la ha conquistado,
cabalga de nuevo para adueñarse
de otros lugares sin volver la vista atrás.

Para él un territorio es siempre
igual a otro, y nada le importa abandonar
las tumbas de sus antepasados.
Hambriento, se tragará la tierra,
y no dejará nada: sólo un desierto.

Pero ahora el Gran Jefe de Washington
nos pide que abandonemos nuestras tierras
y nos recluyamos en una reserva.
Por algún motivo, el Gran Espíritu ha concedido
al hombre blanco el dominio sobre los animales,
los bosques y los pieles rojas.
Y este motivo es para nosotros un enigma.
El Gran Espíritu ha abandonado a sus hijos
de piel roja y nos ha dejado huérfanos.

Nuestra manera de vivir
es diferente a la del hombre blanco
y no podemos entender qué sentido

tendrá para ellos la vida cuando
se aniquilen todos los búfalos,
se domen todos los caballos salvajes
y se talen todos los árboles del bosque.
Quizá nosotros seamos salvajes, como decís,
por eso no podemos entender
cómo un caballo de hierro que echa humo
es más poderoso que el búfalo,
al que sólo matamos para alimentarnos.

¿Qué es lo que quiere comprar el hombre blanco?,
me pregunta mi pueblo.
Ésa es una idea extraña para nosotros.
¿Cómo se puede comprar o vender el cielo,
el calor de la tierra,
o la velocidad del antílope?
Son cosas que no nos pertenecen.
¿Cómo podemos entonces vendérselas?
¿Y cómo puede él comprarlas?
¿Sólo porque firmemos un papel puede pensar
que la tierra ya le pertenece
y que puede hacer con ella lo que se le antoje?
¿Podría comprar de nuevo el búfalo
cuando el último de ellos haya desaparecido?
He visto miles y miles de búfalos
putrefactos, abandonados en la
pradera por el hombre blanco.

Aun así, consideraremos vuestra oferta
para que nos vayamos a una reserva,
porque sois un pueblo poderoso
y nosotros queremos vivir en paz.

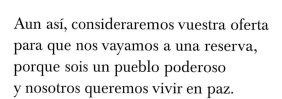

Pero nuestros hijos verán a sus padres sumisos y vencidos.
Nuestros guerreros se sentirán avergonzados.
En la reserva, pasarán sus días desocupados
y envenenarán sus cuerpos con malos alimentos y fuertes bebidas.
Poco importa dónde pasemos el resto de nuestros días.
Puede que no nos queden muchos. Dentro de algunos inviernos,
quizá no exista ya ningún hijo de la orgullosa raza
que en otros tiempos pobló esta tierra.
Los pieles rojas vivirán dispersos en reservas
y gemirán lejos de las tumbas de su pueblo,
que en otro tiempo fue tan poderoso
y lleno de esperanza como el vuestro.

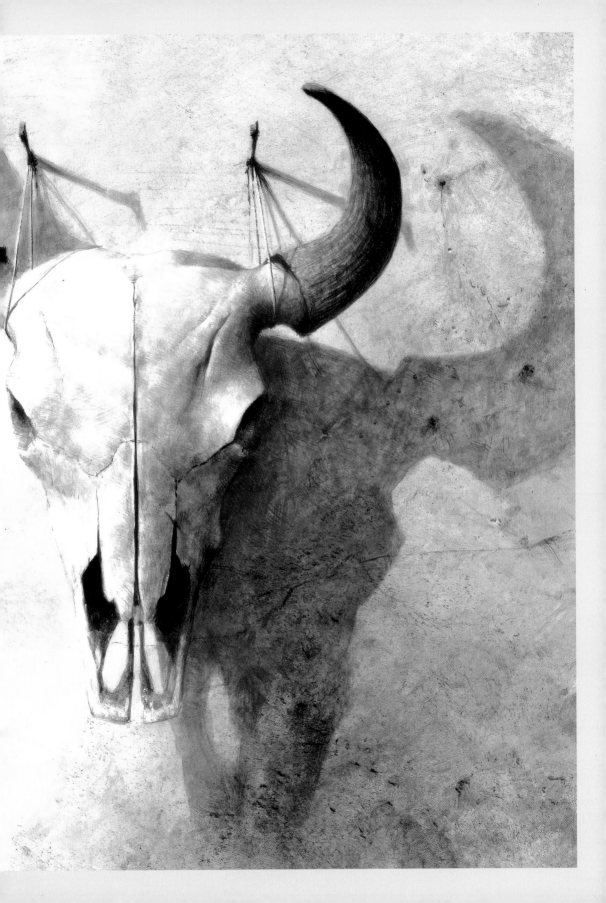

Pero si os vendemos nuestra tierra
deberéis recordar que para nosotros es sagrada,
que los animales son nuestros hermanos
y las plantas nuestras hermanas.
Deberéis enseñar a vuestros hijos
a amar todos los seres de la Creación.
Para que respeten la Tierra,
explicadles que ella alberga en su seno
las almas de nuestros antepasados.
Enseñadles lo que nosotros les enseñamos
a nuestros hijos: que la Tierra es nuestra madre.
Cuando el último piel roja desaparezca
y su recuerdo sea solamente
la sombra de una nube sobre la pradera,
todavía seguirá vivo el espíritu
de nuestros antepasados
en estas orillas y estos bosques.
Pues ellos amaban esta tierra
como ama el recién nacido
el latido del corazón de su madre.

Mis palabras, recordadlo,
son como las estrellas,
que nunca se apagan.

Cuando hube terminado mi discurso, examiné los rostros de los jefes blancos. ¿Habían comprendido mis palabras? ¿Significaban algo para ellos?

En todo caso, el Gobierno se apresuró a llevar a cabo sus planes para expulsarnos de nuestras tierras y obligarnos a vivir en las reservas. Yo fui uno de los primeros jefes indios de nuestra región que firmaron un tratado. Muchos otros se negaron porque no aceptaban que se les desarraigara de sus tierras y tampoco creían en la palabra del hombre blanco. Pero yo sí acepté sus condiciones, así que me dispuse a conducir a mi pueblo lejos de nuestros territorios para empezar una nueva vida en la reserva.

No obstante, la voracidad de los hombres blancos no tiene fin, y jóvenes guerreros de muchas tribus se han unido para luchar contra ellos. Esto, sin embargo, sólo nos traerá sufrimiento. Debemos deponer nuestras hachas de guerra. El hombre blanco debe también deponer sus armas y atender a nuestras justas razones. El piel roja y el rostro pálido han de aprender a vivir en armonía entre ellos y con la madre naturaleza.

LOS INDIOS NORTEAMERICANOS

EL CREPÚSCULO DE UNA CIVILIZACIÓN

Montserrat Fullà

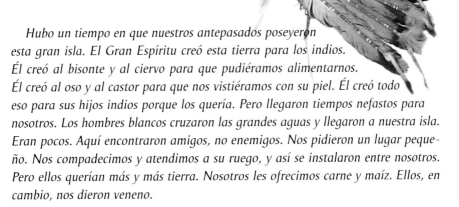

Hubo un tiempo en que nuestros antepasados poseyeron esta gran isla. El Gran Espíritu creó esta tierra para los indios. Él creó al bisonte y al ciervo para que pudiéramos alimentarnos. Él creó al oso y al castor para que nos vistiéramos con su piel. Él creó todo eso para sus hijos indios porque los quería. Pero llegaron tiempos nefastos para nosotros. Los hombres blancos cruzaron las grandes aguas y llegaron a nuestra isla. Eran pocos. Aquí encontraron amigos, no enemigos. Nos pidieron un lugar pequeño. Nos compadecimos y atendimos a su ruego, y así se instalaron entre nosotros. Pero ellos querían más y más tierra. Nosotros les ofrecimos carne y maíz. Ellos, en cambio, nos dieron veneno.

Jefe Casaca Roja, 1805

La invasión del hombre blanco

Como una gran isla en paz y rebosante de recursos: así imaginaban sus tierras los indios de Norteamérica cuando el hombre blanco empezó a colonizarlas. Por entonces, los pieles rojas ya llevaban muchos siglos asentados en aquel continente, donde vivían en armonía con la naturaleza: sembraban la tierra y recogían sus frutos, pescaban con arpones en los ríos, cazaban a los bisontes de las llanuras, contaban por lunas el paso de los días y rezaban al Gran Espíritu que había creado el mundo para ellos. Pero la llegada de los blancos alteró radicalmente aquella forma de vida y constituyó una auténtica maldición para los pieles rojas. Y no solo porque los europeos llevaron a Norteamérica enfermedades, como la viruela y el cólera, que causaron una gran mortandad entre los indios, sino sobre todo porque los colonos decidieron instalarse en las tierras de los indígenas y adueñarse de todas las riquezas que hallaron a su paso.

Al final, la convivencia entre los nativos y los colonos se volvió insostenible, por lo que Norteamérica se convirtió en el escenario de una cruenta guerra que habría de durar casi tres siglos y que concluiría con el exterminio de tres cuartas partes de la población india.

"Llegaron tiempos nefastos"

El comienzo de las hostilidades

Los primeros ingleses y holandeses que arribaron a las costas de Norteamérica a principios del siglo XVII encontraron graves dificultades para sobrevivir, pero pudieron salir adelante gracias a la ayuda prestada por los indios, quienes les enseñaron a cultivar el maíz y los trataron con una especie de temor reverencial. Sin embargo los europeos, en lugar de corresponder a la generosidad con que los nativos los habían acogido, se propusieron someterlos y apropiarse de sus tierras, y, cuando la escasez o el hambre los acuciaba, no dudaron en saquear los poblados de los indios para arrebatarles sus provisiones. Naturalmente, tanta codicia e ingratitud acabó por sublevar a los pieles rojas, y, a partir de 1610, se sucedieron los enfrentamientos y las muertes.

Ante la hostilidad de los indios, los europeos reaccionaron a menudo con una crueldad desproporcionada, aniquilando poblados enteros y asesinando a mujeres y niños. La revuelta indígena más importante del siglo XVII, encabezada por el jefe de la tribu wampanoag Metacom, se saldó con la muerte de seiscientos ingleses y más de cuatro mil indios. Para escarmiento de los derrotados nativos, la cabeza de Metacom fue expuesta en lo alto de una pica en el centro de Plymouth.

Los colonos, además, supieron aprovecharse de los conflictos entre las propias tribus indias y no dudaron en pedirles ayuda cuando empezaron a pelearse entre sí. Entre 1756 y 1763, los ingleses se enfrentaron a los franceses por el control de Canadá en una guerra en la que más del ochenta por ciento de los combatientes fueron indígenas. Los pieles rojas se aliaron con el enemigo europeo porque los dos bandos rivales les aseguraron que respetarían los territorios de los nativos en caso de vencer. Sin embargo, cuando la guerra concluyó con victoria inglesa, los colonos olvidaron lo prometido, y continuaron convirtiendo en propiedad privada las tierras y los bosques que siempre habían sido propiedad colectiva de los indios.

Las guerras entre iroqueses y hurones del siglo XVII favorecieron los intereses de los colonos. Grabado de un guerrero iroqués.

40

Con anterioridad a la llegada de los blancos, Norteamérica estaba habitada por más de quinientas tribus con formas de vida tan diversas como el medio natural en que se desenvolvían. Muchas tribus del noreste eran sedentarias y vivían en poblados bien organizados, como el que muestra esta ilustración. Los campos de cultivo rodeaban las casas de madera en las que residían varias familias.

Los primeros desterrados

Cuando Estados Unidos se convirtió en un país independiente, muchos creyeron que había llegado el momento de la paz. Y, en efecto, en 1787 el gobierno reconoció la soberanía de las tribus indias en sus territorios, y cinco años después el presidente George Washington anunció que su país quería proporcionar a los pieles rojas todos los bienes de la civilización. Parecía que los indios iban a ser "unos americanos más", pero el ansia desmedida de los blancos por apropiarse de nuevas tierras echó por tierra las buenas intenciones del gobierno. Presionado por los colonos, en 1803 el presidente Jefferson instó a los indios del noreste a que abandonasen el territorio de sus antepasados a cambio de una cantidad irrisoria de dinero. "¿Dejaremos que destruyan nuestro pueblo sin combatir?", clamó entonces Tecumseh, el jefe de los shawnee, quien convenció a las tribus de la zona para que se negaran a vender sus tierras a los blancos. Tecumseh se enfrentó al gobernador norteamericano y le dijo:

> El Ser que habita en mi interior, en estrecha comunión con el pasado, me dice que tiempo atrás no había hombres blancos en este continente, que entonces pertenecía sólo a los pieles rojas, una raza que fue instalada allí por el Gran Espíritu, quien les hizo cuidarlo, recorrerlo, gozar de sus frutos y llenarlo con hijos de la misma raza feliz, y de un tiempo a esta parte convertida en una raza miserable por los blancos, que nunca se sienten satisfechos y siempre nos están arrebatando las tierras.
>
> El único modo de poner fin a este mal es que los pieles rojas se unan para exigir un derecho común sobre la tierra, tal como era al principio y debería ser ahora, pues nunca estuvo dividida, sino que pertenecía a todos para el disfrute de cada uno.

El conflicto se agravó y, en respuesta a una provocación de las tropas del gobernador, en 1811 las tribus de indios capitaneadas por Tecumseh y su hermano Tenskwatawa declararon la guerra a los norteamericanos. Tras iniciarse las hostilidades, los indios se aliaron con los británicos, pero en 1813 fueron finalmente derrotados por el ejército federal, con lo que la resistencia de los pieles

Retrato de Tecumseh, vestido a la usanza occidental.

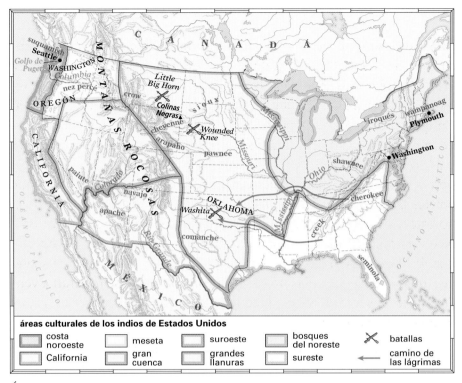

Áreas culturales de los indios norteamericanos y principales tribus.

rojas en el noreste tocó a su fin. Todos los indígenas de la zona que sobrevivieron a la guerra, incluso aquellos que habían combatido en el bando estadounidense, fueron expulsados de sus tierras y obligados a trasladarse al oeste del río Mississippi.

El camino de las lágrimas

A esas alturas, también los indios del sudeste conocían la opresión del hombre blanco. Tribus como los creeks y los cherokees cedieron parte de sus territorios a condición de que el gobierno les garantizara que nunca más tendrían que abandonar su hogar. Es más: los cherokees renunciaron en parte a su cultura a fin de asimilar la de los blancos, para lo cual se convirtieron al cristianismo y llevaron a sus hijos a la escuela. Sin embargo, cuando se descubrió oro en las tierras a las que se habían trasladado, el presidente Andrew Jackson decretó que los indios debían abandonar de nuevo su hogar y cruzar el Mississippi para instalarse en la inhóspita Oklahoma.

Tropas del ejército norteamericano vigilaban a los cherokees en su destierro a Oklahoma.

Corría el año 1838, y el éxodo de los cherokees fue tan penoso y dramático que recibió el nombre de "camino de las lágrimas". En el viaje murieron unos cuatro mil indios, a causa del frío, el hambre o las enfermedades. El historiador y político francés Tocqueville tuvo la oportunidad de contemplar la marcha de los indios con sus propios ojos y la relató en todo su patetismo con estas palabras:

> Era pleno invierno y hacía un frío espantoso. La nieve se había helado y el río Mississippi arrastraba grandes placas de hielo. Los indios llevaban consigo a sus familias, a los enfermos y heridos, a los recién nacidos y a los viejos moribundos. Los vi embarcarse para pasar el ancho río, y jamás en mi vida olvidaré ese espectáculo solemne. No se oyó ni un gemido ni un llanto: todos iban en completo silencio. Sus desgracias les venían ya de antiguo, y sabían que no tenían remedio. Todos los indios habían subido a bordo de la barcaza que les trasladaba a la otra ribera, pero los perros se quedaron en tierra. Sin embargo, tan pronto como aquellos animales se percataron de que sus amos no pensaban regresar, aullaron lastimeramente y, lanzándose todos a una a las heladas aguas del Mississippi, fueron nadando hasta la barcaza.

◆ ¿Qué actitud de los indios ante la adversidad impresionó profundamente a Tocqueville? ¿Por qué razón?

◆ Describe cómo te sentirías tú si fueras expulsado de tu casa y de tu tierra para siempre.

"Ellos querían más y más tierra"

La guerra de las praderas

La vasta extensión del territorio norteamericano y su inmensa riqueza no dejaron de atraer a los europeos a lo largo del siglo XIX. Entre 1840 y 1860 llegaron a Estados Unidos más de cuatro millones de emigrantes, muchos de los cuales se dirigieron al lejano oeste porque deseaban instalarse en las fértiles tierras de Oregón o porque ansiaban enriquecerse con el oro de los ríos californianos. En ambos casos, los indios no tardaron en ser desplazados de sus territorios y obligados a recluirse en reservas, como le ocurrió a la tribu del jefe Seattle.

A mediados del siglo XIX, por tanto, toda la mitad este de Norteamérica y la costa del Pacífico estaban ya colonizadas, y tan solo las grandes llanuras del medio oeste seguían en manos de los indios, que vivían de la caza del búfalo. Hasta entonces, los blancos se habían limitado a atravesar aquellos territorios camino del lejano oeste, pero no mostraban interés alguno por unas tierras que consideraban inhóspitas. Solo el ejército se había asentado en las llanuras, levantando una serie de fuertes a lo largo de la ruta de las caravanas a fin de proteger a los pioneros de los ataques de los indios.

Muy pronto, sin embargo, los blancos advirtieron que buena parte de las praderas del medio oeste no eran tan desérticas como creían, sino que en ellas se podía criar ganado en abundancia e incluso cultivar la tierra. Y aunque el presidente Jackson había dispuesto en 1835 que la colonización no debía rebasar el río Missouri, a mediados de siglo el gobierno norteamericano se propuso estimular la colonización de las llanuras y decretó que quien se asentara en ellas sería propietario de las tierras que ocupase. "Vete al oeste, muchacho", decía un eslogan muy difundido en la época, que convenció a un tropel de emigrantes para viajar al medio oeste. De pronto, las praderas de los indios se llenaron de cercados de espinos, y los búfalos comenzaron a perder su hábitat natural, pues los colonos los ahuyentaban para que sus reses pudiesen pastar a placer la hierba de aquellos campos.

Los búfalos constituían la fuente principal de subsistencia de los indios de las praderas, quienes se alimentaban con la carne de este animal, utilizaban sus pieles para cubrir los tipis y confeccionarse vestidos, aprovechaban los tendones, huesos y cuernos para fabricar agujas y otros utensilios, y empleaban el estiércol como combustible.

Con todo, la peor amenaza para las manadas de búfalos llegó con el tendido del ferrocarril transcontinental, cuya construcción se inició en 1866 para unir las dos costas del continente americano. Con el objeto de alimentar a los miles de obreros que trabajaban en la línea férrea, se contrataron a numerosos cazadores que diezmaron poco a poco la población de bisontes. Los blancos sabían, además, que el exterminio de los búfalos era la mejor manera de forzar a recluirse en reservas a los indios, cuya vida dependía por entero de aquellos animales. De manera que la caza del búfalo muy pronto se convirtió en un perverso deporte mediante el cual se aniquilaron más de diez millones de ejemplares en solo cuatro años. El exterminio de los bisontes y la invasión de sus territorios por los blancos enfurecieron a sioux, cheyennes y arapahoes, quienes decidieron unirse para plantar cara a los rostros pálidos.

Desde la década de 1840, las tribus de las praderas combatieron a los colonos hostigando fuertes y asaltando trenes, ataques a

46

los que el ejército americano respondió siempre con severidad. El gobierno hizo varios intentos por restaurar la paz redactando tratados en que reconocía los derechos de los indios, pero tardó tan poco en firmarlos como en violarlos, por lo que la guerra de las praderas se prolongó durante más de treinta años.

El conflicto se agravó cuando en 1874 centenares de blancos invadieron, en busca de oro, las Colinas Negras, un territorio sagrado para los indios y cuya propiedad exclusiva les había sido reconocida por el gobierno norteamericano en un tratado. Los pieles rojas dieron numerosas pruebas de tenacidad y destreza en la guerra, pero ninguna tan recordada como la derrota que infligieron al séptimo regimiento de caballería en Little Big Horn el 25 de junio de 1876. Aquel día, los sioux y los cheyennes repelieron un ataque del teniente coronel Custer, un ambicioso y engreído militar que había ordenado la masacre de un poblado cheyenne en 1868. Al grito de "¡Hoy es un buen día para luchar, hoy es un buen día para morir!", el jefe Caballo Loco dirigió una carga de caballería que consiguió aislar a una parte del regimiento norteamericano, con Custer a la cabeza. Una lluvia de flechas y balas cayó sobre sus más de doscientos sesenta soldados y oficiales, que en menos de media hora sucumbieron en medio de un ruido infernal.

Dibujo sioux de la batalla de Little Big Horn, en cuyo centro vemos al jefe Caballo Loco.

En la guerra de las praderas, los soldados norteamericanos a menudo describieron cómo los indios, a los que consideraban los mejores jinetes del mundo, se lanzaban a galope tendido en medio del fuego enemigo para rescatar a un guerrero herido. Este espléndido óleo de Frederic Remington refleja a la perfección todo el heroísmo de ese dramático lance.

La derrota de Little Big Horn conmocionó a los norteamericanos, que avivaron su odio hacia los pieles rojas. El ejército reaccionó con tanta ira que en muy poco tiempo desbarató casi por entero la resistencia india en las grandes llanuras. El jefe Toro Sentado, consciente de la inferioridad militar de los sioux, se replegó hacia la frontera de Canadá para evitar la matanza segura de muchos de los suyos. En adelante, los indios tendrían que resignarse a vivir en las reservas.

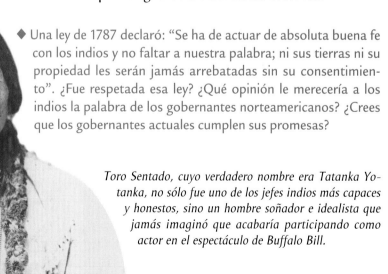

◆ Una ley de 1787 declaró: "Se ha de actuar de absoluta buena fe con los indios y no faltar a nuestra palabra; ni sus tierras ni su propiedad les serán jamás arrebatadas sin su consentimiento". ¿Fue respetada esa ley? ¿Qué opinión le merecería a los indios la palabra de los gobernantes norteamericanos? ¿Crees que los gobernantes actuales cumplen sus promesas?

Toro Sentado, cuyo verdadero nombre era Tatanka Yotanka, no sólo fue uno de los jefes indios más capaces y honestos, sino un hombre soñador e idealista que jamás imaginó que acabaría participando como actor en el espectáculo de Buffalo Bill.

"…Y ellos nos dieron veneno"

El sombrío destino de los pieles rojas: las reservas

Las reservas habían nacido en el siglo XVIII con el propósito de facilitar a los indios un espacio amplio en el que pudieran vivir y cazar sin ser importunados por los colonos. Sin embargo, las reservas que se crearon a partir de 1850 eran pequeños territorios a menudo baldíos que dejaban a los indios frente a un callejón sin salida, pues ya no podían mantener sus viejas costumbres pero tampoco adoptar la forma de vida de los blancos, porque no se les proporcionaron los medios necesarios para ello. Así lo declaró el jefe sioux Nube Roja algún tiempo después de que su pueblo firmara un tratado desventajoso y fuese recluido en una reserva:

> Ésta era la situación: la caza de la que habíamos vivido desaparecía y no nos quedaba más elección que adoptar el sistema de vida de los blancos. El gobierno prometió darnos los medios para subsistir en las reservas, enseñarnos a cultivarlas y suministrarnos víveres en abundancia hasta que fuéramos capaces de atender a nuestras propias necesidades. Pero nuestras raciones empezaron a disminuir y pienso que les parecía más ventajoso abandonarnos a nuestra suerte que ayudarnos a progresar. Vosotros, que coméis tres veces al día y que veis a vuestros hijos felices y llenos de salud, no podéis comprender lo que sentían los indios en la miseria. Ya no quedaba esperanza en este mundo; el Gran Espíritu se había olvidado de nosotros.

Los antiguos dueños del continente norteamericano, pues, fueron expoliados y reducidos a la más infamante pobreza. Por eso los que pudieron se escaparon de las reservas, como hizo el famoso jefe apache Gerónimo en compañía de cien guerreros en 1883.

El jefe Nube Roja participó en más de ochenta combates contra los blancos, cuya insaciable voracidad criticó duramente. Tras firmar un tratado en 1868, vivió recluido en una reserva más de treinta años.

Wounded Knee: la derrota final

Sin embargo, la mayoría de los indios no logró eludir su confinamiento. Embargados por el pesimismo, muchos llegaron a suicidarse, y algunos acabaron su vida alcoholizados porque buscaron consuelo en el whisky, mientras otros se aferraban a una nueva religión que les proporcionó una luz de esperanza. Se trataba de lo que los blancos denominaron la «Danza de los Espectros», predicada por un indio llamado Wovoka. Según dicha creencia, un mesías indio estaba a punto de aparecer y, a su llegada, los pieles rojas muertos resucitarían para unirse a los vivos, los búfalos volverían a recorrer las praderas y los invasores blancos se desvanecerían de las tierras indias como la niebla bajo el sol. Para entrever el liberador futuro que les esperaba y comunicarse con las almas de los guerreros muertos, los indios debían bailar al son de una danza que no tardó en ganar un sinfín de adeptos. La danza no pretendía ser una incitación a la guerra, pero los agricultores y mineros blancos así lo interpretaron, lo que motivó que el gobierno la prohibiese. Pero los sioux se negaron a renunciar a la Danza de los Espectros, y el ejército decidió capturar a los jefes de la tribu para acabar con su resistencia. Entre ellos se encontraba el jefe Toro Sentado, quien fue asesinado el 15 de diciembre de 1890 cuando iba a ser detenido.

El suceso conmocionó a los indios, que respondieron con algaradas en las reservas. El ejército se movilizó entonces para reprimir cualquier conato de resistencia, y el 29 de diciembre, en un lugar de Dakota del Sur conocido como Wounded Knee, aniquiló con una excusa banal a un grupo de trescientos sioux que se dirigían a una reserva para buscar abrigo y comida. La mayoría de aquellos

Vestido femenino para la Danza de los Espectros. Para los indios, las mujeres poseían el don de la vida, de ahí que tuvieran un importante papel en la Danza.

El cadáver congelado del jefe sioux Pie Negro yace en la nieve tras la masacre de Wounded Knee. Algunas mujeres y niños intentaron huir, pero los soldados norteamericanos los persiguieron y asesinaron sin piedad. Todos ellos fueron arrojados en una fosa común.

indios eran niños, mujeres y ancianos que, obviamente, no representaban ningún peligro para Estados Unidos. Sin embargo, aquella matanza poseía un hondo valor simbólico: con ella, los blancos vengaban la humillante derrota de Little Big Horn y dejaban claro a los indios que habrían de pagar caro cualquier intento de revuelta o de resistencia. Wounded Knee fue, pues, el último episodio de la larga y sangrienta guerra entre los blancos y los indios.

◆ ¿Qué cadena de hechos había llevado al pueblo indio a una desesperanza tal que confiara en las palabras de Wovoka? ¿Hasta dónde puede llegar un pueblo desesperado?

◆ ¿Qué opinas de la política de las reservas llevada a cabo por el gobierno norteamericano y del trato que en ellas se dispensó a los indios?

◆ Las reservas eran una forma clara de segregar a los nativos norteamericanos. ¿Crees que en la actualidad se practica alguna forma de segregación? Argumenta tu respuesta.

◆ Un genocidio es el exterminio de un pueblo o una etnia. ¿Crees que puede aplicarse el término genocidio a la actuación del gobierno de Estados Unidos respecto a los pieles rojas?

El jefe Joseph: un pacifista obligado a combatir

Entre los jefes indios hubo quienes defendieron sus derechos sobre las tierras con sabios discursos y acabaron aceptando injustos tratados a fin de mantener la paz; tal fue el caso del jefe Seattle. Otros caudillos, como el apache Gerónimo, mantuvieron una actitud desafiante y hostil que desembocó en una sangrienta y cruel guerra.

Una figura peculiar y profundamente admirada por blancos e indios fue Joseph, uno de los jefes de la tribu nez percés. Sin aceptar la claudicación ni plantear la guerra abierta, Joseph intentó conservar la paz a toda costa, hasta que la presión y los abusos de los blancos provocaron la ira de sus guerreros y desencadenaron una guerra en la que los nez percés dieron muestras de un arrojo y una nobleza sin parangón.

La tribu de los nez percés habitaba la región del río Columbia, mantenía cordiales relaciones con los blancos y se había convertido al cristianismo. En 1855 los nez percés firmaron un tratado en virtud del cual cedían parte de sus territorios a los blancos. Ocho años después, sin embargo, algunos jefes de la tribu suscribieron un nuevo pacto por el que se comprometían a abandonar el valle de Wallowa, donde habitaba el grupo liderado por Joseph el Viejo, padre de Joseph. Como es natural, Joseph el Viejo rehusó cumplir un tratado que no había firmado y se negó a marcharse de un territorio en el que su pueblo había vivido siempre y donde podían dedicarse a la actividad de que dependía su subsistencia: la cría de caballos. Poco antes de morir en 1871, el anciano jefe aconsejó a su hijo:

> Recuerda que tu padre jamás vendió esta tierra. Los blancos, sin embargo, han puesto sus ojos en ella. ¡Hijo mío, no entregues jamás la tierra donde reposarán los restos de tu padre y tu madre!

El pueblo de Joseph vivió algunos años más en paz hasta que en 1876 se encontró oro en las montañas que rodean el valle de Wallowa y el

El jefe Joseph fue descrito por los blancos como un verdadero compendio de virtudes: sabio, elocuente, bondadoso, justo, valeroso y de una misericordia infinita.

El jefe Joseph condujo a su pueblo hacia Canadá a través de las montañas mientras repelía los continuos ataques del ejército norteamericano. La destreza y el heroísmo demostrados en esa retirada se ha comparado con la de los diez mil griegos de la «Anábasis» de Jenofonte, y la genial estrategia de Joseph con las acciones más brillantes de Napoleón.

gobierno conminó a aquel grupo de nez percés a que se dirigieran a la reserva de Lapwai. El joven jefe se reunió en consejo y, aunque algunos de sus guerreros propugnaban la resistencia, Joseph procuró hacerles entender que no tenían más alternativa que marcharse, pues de lo contrario serían obligados por la fuerza y se derramaría mucha sangre. Al final, la tribu aceptó abandonar sus tierras, aunque solicitó que se le concediera un plazo de tiempo para reunir el ganado, los caballos y todos sus enseres. Sin embargo, algunos blancos se aprovecharon de la circunstancia para robar a los nez percés varios centenares de caballos, y el odio contenido acabó por estallar: unos jóvenes guerreros, enardecidos por la humillación a que los blancos estaban sometiendo a su pueblo, asesinaron a una docena de colonos.

Joseph comprendió que el gobierno ordenaría reprimir el incidente con una dureza ejemplar, de manera que la guerra, tan poco deseada por él, era ya ineludible. Los nez percés, acaudillados por Joseph, se enfrentaron al ejército en una primera batalla en la que obligaron a retroceder veinte kilómetros a unas fuerzas que les doblaban en número. Algunos días después llegaba el general Howard con setecientos soldados de refuerzo, pero los nez percés los contuvieron en varios combates.

Un grupo de nez percés posan para una fotografía tras su rendición. El general Miles, buen amigo de Joseph, no pudo cumplir su promesa de trasladarlos al valle de Wallowa.

Sin embargo el jefe Joseph, consciente del peligro que corría su pueblo, inició una espectacular retirada hacia Canadá para reunirse con Toro Sentado y los sioux, que se habían refugiado en el país vecino tras la batalla de Little Big Horn. Al frente de unos setecientos nez percés, de los cuales sólo unos ciento cincuenta eran guerreros, y el resto ancianos, mujeres y niños, recorrió más de dos mil kilómetros y resistió durante casi tres meses los sucesivos ataques del bien pertrechado ejército estadounidense. Demostrando un valor a toda prueba, tratando con misericordia a los prisioneros blancos y utilizando ingeniosísimas estrategias militares, los nez percés mantuvieron en jaque a varios regimientos comandados por los generales Howard y Miles hasta que, a escasos cincuenta kilómetros de la frontera canadiense, exhaustos, desnutridos y con numerosas bajas, los pieles rojas fueron interceptados por las tropas norteamericanas y hubieron de rendirse con la doble condición de que sus vidas fueran respetadas y se les permitiera regresar a su tierra. El general Miles aceptó esas condiciones, pero los nez percés fueron hechos prisioneros y conducidos al territorio indio de Oklahoma, muy lejos del valle de Wallowa, donde muchos murieron a consecuencia del hambre y las enfermedades.

En 1885, gracias a la intervención de Miles, se les permitió trasladarse a una reserva del noroeste, adonde llegaron aquel crudo invierno en un estado lamentable porque no les proporcionaron ayuda ni alimentos. Jamás volverían a sus tierras, que habían perdido para siempre.

El jefe Joseph murió en 1904 en la reserva de Colville (Washington) rodeado de admiración y respeto. Años antes, el 14 de enero de 1879, pronunció un memorable discurso en defensa de su pueblo ante los congresistas norteamericanos, del cual conviene recordar estas conmovedoras palabras:

> Esperar que un hombre que ha nacido libre esté contento cuando lo confinan y le niegan la libertad de ir donde quiera, sería como esperar que la corriente de los ríos fluyera hacia arriba. Permitidme que sea un hombre libre: libre para viajar, libre para detenerme, libre para trabajar, libre para elegir a mis propios maestros, libre para pensar y actuar por mí mismo.
>
> Estoy cansado de las palabras de los blancos, que se quedan en nada. Las buenas palabras no me devolverán a mis hijos. Las buenas palabras no dan salud a mi pueblo ni impiden que mi gente continúe muriendo. Las buenas palabras no proporcionan a mi pueblo un lugar donde vivir en paz.
>
> No podemos competir con los blancos tal como somos. Únicamente pedimos las mismas oportunidades para vivir como los demás hombres. Pedimos que se reconozca que somos seres humanos.

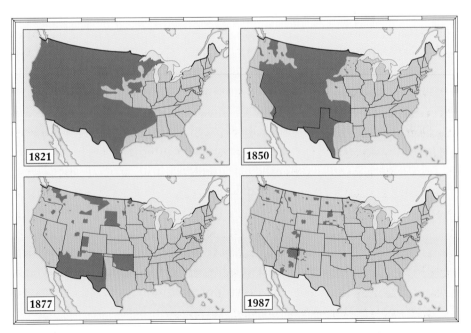

En estos cuatro mapas se aprecia la progresiva reducción de los territorios indios, hasta que finalmente quedaron limitados a unas pequeñas reservas. Como reconoció un congresista en 1920, la consecuencia fue que "la inmensa mayoría de los indios viven en la más extrema pobreza, pues han sido excluidos del sistema económico y social de los blancos".

El jefe Seattle

La vida del jefe Seattle coincide en el tiempo con la época en que se arrebataron más tierras a los indios y en que se produjeron los más duros enfrentamientos entre nativos y blancos. Seattle nació hacia 1786 en un poblado a orillas del golfo de Puget, situado en la costa noroccidental del Pacífico, cuando los hombres blancos apenas habían explorado aquellos territorios.

En 1792 el pequeño Seattle debió de presenciar la llegada en el buque *Discovery* de una expedición capitaneada por el británico George Vancouver, navegante e infatigable explorador de las costas occidentales de América.

Con el tiempo, Seattle, que era hijo de un jefe de la tribu suquamish, alcanzó una sólida posición social, como nos lo revela el número de esclavos que poseía, todo un símbolo de riqueza. Se casó en dos ocasiones y tuvo varios hijos e hijas. Participó, como todos los indios de la zona, en las frecuentes luchas tribales y, tras demostrar en infinidad de ocasiones su valor y destreza en el combate, llegó a convertirse en jefe de los suquamish, los duwamish y cuatro tribus más.

En 1833 la empresa comercial Hudson's Bay Company fundó Fort Nisqually en el golfo de Puget para promover el intercambio de mercancías, y Seattle, gracias a su facilidad de palabra y a su talante negociador, entabló unas relaciones amistosas con los blancos que fructificaron en el establecimiento de un negocio en común: una pesquería. En reconocimiento a su amistad y a su papel de mediador, en 1853 los colonos dieron el nombre de Seattle a aquel poblado de la costa donde pieles rojas y blancos habían convivido hasta entonces pacíficamente. Pero en 1854 Isaac Stevens, comisario de Asuntos Indios del gobierno norteamericano, recibió la orden de convencer a los indios de aquella región para que vendieran sus tierras y se

Seattle era un hombre de considerable estatura, ancho de espaldas y fornido, aunque la única fotografía conocida del jefe suquamish, obtenida poco antes de su muerte, no dé esa impresión.

La ciudad de Seattle hacia 1884. Al fondo de este grabado coloreado podemos ver el monte Rainier y la bahía de Elliott, donde fondeó el capitán George Vancouver y donde el jefe suquamish residió hasta que fue desterrado en 1865.

dirigieran a una reserva. El consejo se celebró en la primavera de 1855 y a él asistieron delegados y jefes de más de catorce tribus de la zona, entre las cuales se encontraban los nez percés, los suquamish y los duwamish. Algunas tribus se negaron a ser confinadas en reservas, pero al final todas acabaron aceptando a regañadientes un tratado que les permitía escoger el territorio donde habían de asentarse. Sin embargo, apenas habían transcurrido tres meses cuando el jefe de los yakimas, Kamaiakan, acusó al gobierno de haberlo coaccionado y de haber quebrantado el tratado recién suscrito, por lo que se alió con otras tribus y declaró la guerra a los blancos.

El conflicto bélico duró tres años, al cabo de los cuales los indios fueron derrotados y sus principales jefes ahorcados. Seattle, que había permanecido fiel al tratado con el gobierno, ejerció sus buenos oficios para que las autoridades estadounidenses fuesen generosas con las tribus vencidas.

En 1865, finalmente, el jefe Seattle fue expulsado de la ciudad que llevaba su nombre y donde había dado la bienvenida a los nuevos pobladores, por lo que se vio obligado a pasar el último año de su existencia en la reserva de Port Madison.

Las palabras de Seattle

Los jefes indios solían ser notables oradores, como lo prueba el discurso que el jefe Seattle pronunció en 1855 ante la comisión de Asuntos Indios. Dado que los pieles rojas estaban en inferioridad de condiciones, negarse a aceptar el pacto propuesto por el gobierno norteamericano habría conducido a un enfrentamiento bélico en que los indios hubieran llevado la peor parte.

Por esta razón el valor del discurso de Seattle no reside en la apenas argumentada aceptación de un tratado más bien humillante. Tampoco podemos limitarnos a ver en él la contraposición de dos civilizaciones, una de las cuales acaba sucumbiendo frente a la otra.

La mayor fuerza de su mensaje radica en la belleza con que Seattle describe la profunda unión que existe entre el ser humano y la naturaleza, fuente de vida; no es de extrañar que actualmente se haya ensalzado el extraordinario valor de unas palabras cuyo contenido anticipa las ideas ecologistas. En el poético discurso del jefe suquamish advertimos también un hondo respeto por la tradición, vinculada a la naturaleza, así como la defensa de las propias convicciones, aun a sabiendas de que la forma de vida de los indios ha tocado a su fin.

1. Los indios y la tierra

Seattle teje un inteligente discurso en el cual se pregunta si es posible poseer la tierra y, por tanto, comprarla y venderla; sin embargo, no pone en duda que su pueblo tenga derechos sobre el territorio.

a ¿Qué argumentos esgrime Seattle para poner en cuestión la propiedad de la tierra? No obstante, ¿qué aspecto de la tradición le hace sentir que su pueblo es dueño de la tierra que habita? (págs. 18-19)

El indio se siente profundamente ligado a una naturaleza de la que se sabe parte sustancial y que capta de manera sensitiva.

b ¿Qué sentidos quedan cautivados por la naturaleza? ¿A través de qué elementos? ¿Qué sagrados vínculos se mantienen a través de la naturaleza? ¿De qué modo? (págs. 18-23)

c Por otro lado, ¿qué provecho extrae el indio de su entorno natural? (pág. 21)

Seattle no cesa de destacar el valor sagrado de la Tierra en su conjunto y en cada uno de los elementos que la componen.

d ¿Qué lazos indisolubles y sagrados unen a los animales, a los hombres y a los bosques? (pág. 24)

Según Seattle, el hombre blanco adopta una actitud bien distinta respecto a la naturaleza.

e ¿Qué ven los blancos en la naturaleza? ¿Cómo la tratan? ¿Sienten algún vínculo con ella? ¿Qué consecuencias se derivan del afán insaciable del hombre blanco de poseer la tierra? (págs. 26-27)

El mensaje de Seattle tiene plena vigencia en nuestros días, pues la falta de respeto hacia la naturaleza se ha agravado con posterioridad a sus sabias y proféticas palabras.

f En tu opinión, ¿cómo se puede llegar a un equilibrio entre el progreso y el respeto por la naturaleza?

2. La reclusión en reservas

Los blancos obligan a malvivir en las reservas a los legítimos dueños de los territorios que usurpan. A pesar de ello, Seattle acepta el tratado.

a ¿A quién atribuye el infortunio de su pueblo? (pág. 28) ¿Cuál es la causa real de que los indios vendan sus tierras?

La reclusión de los indios en las reservas trajo consigo un cambio radical y lamentable en sus vidas.

b ¿Por qué causa los indios se sentirán avergonzados en las reservas? ¿Qué futuro les aguarda en ellas? ¿Por qué? (pág. 30)

Aunque Seattle anuncia la desaparición de su pueblo, conserva la esperanza de que el espíritu de los pieles rojas perdurará.

c ¿De qué modo? ¿A quién encomienda la transmisión de los valores de los indios? (pág. 32)

A lo largo de la historia, las naciones poderosas han impuesto a menudo sus valores y su forma de vida a las más débiles.

d Argumenta las razones que posee una cultura minoritaria para vivir de acuerdo con sus tradiciones.

"La diligencia"

Los indios norteamericanos a través del cine

A finales del siglo XIX, la batalla de Little Big Horn y la masacre de Wounded Knee aún estaban muy vivas en la memoria de los norteamericanos cuando la vida de los colonos en la frontera despertó su interés al mismo tiempo que la industria cinematográfica daba sus primeros pasos. La conjunción de esos dos factores se evidencia en una figura como la de Buffalo Bill, famoso aventurero que, después de haber participado en la guerra de las praderas, llevó por todo el mundo su espectáculo «El salvaje Oeste», se convirtió en protagonista de algunas novelas y participó en el rodaje de varias películas.

Muy pronto el cine demostró ser un medio ideal para difundir y mitificar la lucha que los pioneros blancos habían sostenido contra los indios en el medio y lejano oeste, dando así origen al *western*. Este género partía de un planteamiento argumental tan simple como maniqueo: el héroe, blanco y honorable, ha de enfrentarse y vencer a toda suerte de malvados, entre los que destacan los pieles rojas.

Hasta mediados del siglo XX el cine ofrece una visión tergiversada y perversa de los indios a fin de resaltar y engrandecer la figura del protagonista blanco; así sucede en *Murieron con las botas puestas* (1941), film donde Raoul Walsh utilizó la figura del jefe sioux Caballo Loco para inmortalizar al Séptimo de Caballería y elevar a la categoría de héroe al general Custer, a pesar de la responsabilidad del famoso militar en la matanza de tantos indios inocentes y de su imprudente actuación en la batalla en que su regimiento fue aniquilado. El director Cecil B. De Mille, por su parte, ridiculizaba a los pieles rojas o los reducía al papel de meros villanos en películas como *Policía montada del Canadá* (1940) y *Los inconquistables* (1947).

En algunos films de John Ford de 1939 la inquietante presencia de los indios realzaba también la heroicidad de los blancos: tal es el caso de *La diligencia*, memorable película donde un grupo de pasajeros debe cruzar los desérticos parajes de Arizona y Nuevo México bajo la constante amenaza del apache Gerónimo. En *Corazones indomables*, Ford narra la resistencia heroica de los colonos del nordeste que, poco antes de la independencia de Estados Unidos, hicieron frente a los temibles ataques de los indios iroqueses, aliados de los británicos.

En las películas de Walsh, De Mille o Ford no son los indios quienes luchan por su tierra, sino los pioneros, y en ningún momento se hace alusión a los legítimos derechos que las tribus indias tenían sobre unos territorios en los que habían vivido desde tiempos inmemoriales.

Una perspectiva más ecuánime del conflicto entre los indios y los blancos la ofreció la película *Flecha rota* (1950), de Delmer Daves: su protagonista, el blanco Jefford, aprende la lengua de los apaches para poder entrevistarse directamente con el jefe Cochise y convencerlo de que acepte una tregua en la guerra que enfrenta a ambos pueblos. La amistad creada entre Cochise y Jefford, así como el trágico idilio que se desarrolla entre el protagonista blanco y una joven india, refuerzan el carácter antirracista de este inolvidable film.

Con posterioridad a *Flecha rota* se sucedieron películas que defendían la causa de los indios; en 1954 el excelente guión de *Apache*, de Robert Aldrich, expuso los excesos cometidos por la civilización blanca desde el punto de vista del indio Masai. En 1957 Sam Fuller defendió en *Yuma* la importancia de respetar los acuerdos y tratados entre los indios y el gobierno para conseguir una paz duradera.

"Murieron con las botas puestas"

No todos los *westerns* de la época, sin embargo, adoptaron una actitud tan imparcial ante el conflicto que enfrentó a ambas razas. En 1956, por ejemplo, John Ford rodó *Centauros del desierto*, obra cumbre del género en que un antiguo oficial confederado y un joven mestizo se internan en territorio comanche para rescatar a la sobrina del oficial de manos de los indios. En la película, los comanches son salvajes y crueles y constituyen un grave peligro para los colonos, mientras que el militar blanco, interpretado por John Wayne, se comporta con una intransigencia y un racismo que contrastan con la actitud humana y conciliadora del joven mestizo.

En la década de los setenta, cuando la sociedad norteamericana vivía inmersa en la traumática guerra de Vietnam, algunos *westerns* se convirtieron en metáforas para denunciar la actitud expansiva y genocida de Estados Unidos. Tal fue el caso de *Pequeño gran hombre* (1970), de Arthur Penn, y de *Soldado azul* (1970), de Ralph Nelson. *Pequeño gran hombre* lleva a la pantalla el punto de vista indio a través de su protagonista Jack Crabb, un anciano de más de ciento veinte años de edad que, habiendo sido capturado por los cheyennes cuando apenas tenía diez, vivió con ellos a partir de entonces. Al rememorar su larga existencia, transcurrida entre indios y blancos, Crabb desmitifica a los héroes norteamericanos y denuncia la horrible masacre de cheyennes llevada a cabo por las tropas del teniente coronel Custer en Washita en 1868. Para dotar de mayor realismo a la película, se adjudica al actor indio Chief Dan George el papel de mayor relieve interpretado hasta entonces en el cine por un piel roja.

En el mismo año de 1970 el director Elliot Silverstein profundizó en la cultura de las tribus indias en *Un hombre llamado caballo*: en la película un lord inglés es acogido por los sioux y se convierte en uno de ellos tras someterse a la cruda ceremonia iniciática de la Danza del Sol; para que el retrato de la vida de los sioux sea más auténtico, buena parte del film está hablado en la lengua de esa tribu.

"Pequeño gran hombre"

"Bailando con lobos"

A finales del siglo XX, la cinematografía estadounidense abandonó el tratamiento despectivo de los indios y mostró un interés creciente por su mundo, lo que se percibe en la película de Kevin Costner *Bailando con lobos* (1991): en este espléndido film el teniente John Dunbar, desencantado ante la brutalidad de la guerra civil, pide el traslado a un fuerte de la frontera india; allí se encuentra con un puesto abandonado en el que decide permanecer, alejado de la civilización, para vivir en armonía con la naturaleza; poco a poco entra en contacto y traba amistad con los sioux, se enamora de una mujer blanca que vive con ellos y acaba por integrarse plenamente en la vida de la tribu. Dunbar, sin embargo, es apresado por los soldados, que lo consideran un traidor, y sus amigos indios consiguen devolverle la libertad. El film se convierte en un alegato contra el racismo y, a través de la sensibilidad y la hondura con que se describe la cultura de los sioux, promueve la aceptación y el respeto entre ambas razas. La belleza y la impecable factura del film hicieron posible que, después de casi sesenta años, un *western* consiguiera de nuevo un óscar a la mejor película.

◆ Visionad *Murieron con las botas puestas* y *Bailando con lobos*, y comparad la perspectiva que se ofrece de los indios en cada una de esas películas.